JAMES ALLEN

VOCÊ É AQUILO QUE VOCÊ PENSA

CB006372

Título original: *As a man thinketh*

Copyright © James Allen

Você é aquilo que você pensa

1ª edição: Janeiro 2023

Direitos reservados desta edição: CDG Edições e Publicações

O conteúdo desta obra é de total responsabilidade do autor e não reflete necessariamente a opinião da editora.

Autor:
James Allen

Tradução:
Sandra Martha Dolinsky

Preparação:
Larissa Robbi Ribeiro

Revisão:
Equipe Citadel

Projeto gráfico e capa:
Jéssica Wendy

DADOS INTERNACIONAIS DE CATALOGAÇÃO NA PUBLICAÇÃO (CIP)

Allen, James
  Você é aquilo que você pensa / James Allen ; tradução de Sandra Martha Dolinsky. — Porto Alegre : Citadel, 2023.
  80 p.

ISBN 978-65-5047-212-2
Título original: As a man thinketh

  1. Autoajuda 2. Desenvolvimento pessoal 3. Autorrealização I. Título II. Dolinsky, Sandra Martha

23-0459   CDD - 158.1

Angélica Ilacqua - Bibliotecária - CRB-8/7057

Produção editorial e distribuição:

contato@citadel.com.br
www.citadel.com.br

VOCÊ É AQUILO QUE VOCÊ PENSA

JAMES ALLEN

TEMPORALIS
2023

Tradução:
Sandra Martha Dolinsky

A MENTE É O PODER
MESTRE QUE MOLDA E FAZ,
E O HOMEM É MENTE,
E CADA VEZ MAIS ELE TOMA
A FERRAMENTA DO
PENSAMENTO, E, MOLDANDO
O QUE ELE QUER,
CRIA MIL ALEGRIAS,
MIL MALES:
ELE PENSA EM SEGREDO,
E ACONTECE:
O AMBIENTE É APENAS
SEU ESPELHO.

VOCÊ É AQUILO QUE VOCÊ PENSA

AQUILO VOCÊ PE
LO VOCÊ PENSA
OCÊ PENSA VO
ENSA VOCÊ É A
VOCÊ É AQUILO
E AQUILO QUE V

SUMÁRIO

Prefácio	9
Pensamento e caráter	11
Efeito do pensamento nas circunstâncias	19
Efeito do pensamento na saúde e no corpo	43
Pensamento e propósito	49
O fator pensamento na realização	57
Visões e ideais	65
Serenidade	75

AQUILO VOCÊ PE

LO VOCÊ PENSA

OCÊ PENSA VOC

ENSA VOCÊ É AC

VOCÊ É AQUILO

AQUILO QUE V

PREFÁCIO

Este pequeno volume (resultado de meditação e experiência) não pretende ser um tratado completo sobre o tão explorado tema da força do pensamento. É sugestivo, e não explicativo, e seu objetivo é estimular homens e mulheres à descoberta e percepção da verdade que é: "Cada um é criador de si mesmo", por meio da virtude dos pensamentos que cada um escolhe alimentar. A mente é o mestre tecelão do vestuário interno do caráter e do externo da circunstância; por isso, tendo tecido até aqui na ignorância e na dor, pode você agora tecer na iluminação e na felicidade.

James Allen
Broad Park Avenue, Ilfracombe, Inglaterra

AQUILO VOCÊ PE
LO VOCÊ PENSA
OCÊ PENSA VOC
ENSA VOCÊ É AC
VOCÊ É AQUILO
E AQUILO QUE V

PENSAMENTO E CARÁTER

A citação "Porque, como ele pensa consigo mesmo, assim é" (Provérbios 23:7, versão AA) não só abraça tudo que o ser humano é, como também engloba todas as condições e circunstâncias de sua vida. Somos literalmente *aquilo que pensamos,* e nosso caráter é a soma de nossos pensamentos.

Assim como a planta brota da semente e não poderia existir sem ela, todo ato do ser humano brota das sementes ocultas do pensamento e não poderia surgir sem elas. Isso se aplica tanto aos atos chamados "espontâneos" e "não premeditados" quanto aos executados deliberadamente.

O ato é a flor do pensamento, e a alegria e o sofrimento são seus frutos; assim, o ser humano colhe os frutos doces e amargos daquilo que plantou.

Os pensamentos da
mente nos fizeram,
aquilo que somos
foi forjado e construído
pelo pensamento.
Se a mente do ser humano
tem maus pensamentos, a dor
vem sobre ele como vem
a roda atrás do boi

[...]
Se persistir
na pureza de pensamento,
a alegria o seguirá
como sua própria sombra
– com certeza.

O ser humano é um crescimento por lei, e não uma criação por artifício, e causa e efeito são tão absolutos e invariáveis no reino oculto do pensamento quanto no mundo das coisas visíveis e materiais. Um caráter nobre e semelhante a Deus não é fruto do favor ou do acaso, e sim o resultado natural do esforço contínuo no pensamento correto, o efeito de uma associação com pensamentos divinos longamente cultivada. Pelo mesmo processo, um caráter desprezível e animalesco é o resultado do constante cultivo de pensamentos rasteiros.

O ser humano é feito ou desfeito por si mesmo; no arsenal do pensamento, ele forja as armas com que se destrói; também molda as ferramentas com que constrói para si mansões celestiais de alegria, força e paz. Pela escolha certa e verdadeira aplicação do pensamento, o ser humano ascende à Perfeição Divina; pelo abuso e aplicação errada do pensamento, ele desce abaixo do nível do animal. Entre esses dois extremos estão todos os graus de caráter, e o ser humano é seu criador e mestre.

De todas as belas verdades relativas à alma que foram restauradas e trazidas à luz nesta época, nenhuma é mais alegre ou frutífera de promessa e confiança divinas que esta: que o ser humano é o mestre do pensamento, o formador do caráter e o criador e modelador de suas condições, seu ambiente e destino.

Como um ser de poder, inteligência e amor, e senhor de seus pensamentos, o indivíduo possui a chave para todas as situações e contém dentro de si o agente transformador e regenerador pelo qual pode fazer de si o que quiser.

O ser humano é sempre o mestre, inclusive em seu estado mais fraco e abandonado; mas em sua fraqueza e degradação, é o mestre tolo que governa mal sua "casa". Quando começa a refletir sobre sua condição e a buscar diligentemente a lei sobre a qual seu ser está estabelecido, torna-se o mestre sábio, direciona suas energias com inteligência e molda seus pensamentos para questões frutíferas. Assim é o mestre *consciente*, e o indivíduo só pode chegar a isso descobrindo *dentro de si* as leis do pensamento – o que depende totalmente de dedicação, autoanálise e experiência.

É só com muita exploração e trabalho que encontramos ouro e diamantes, e o ser humano pode encontrar toda a verdade relacionada a seu ser se escavar fundo a mina de sua alma; ele pode provar, infalivelmente, que é o criador de seu caráter, o modelador de sua vida e o construtor de seu destino se observar, controlar e modificar seus pensamentos, observando os efeitos dele sobre si mesmo, sobre os outros e sobre sua vida e circunstâncias, ligando causa e efeito pela prática e investigação pacientes, e utilizando todas as suas experiências, mesmo as mais triviais ocorrências cotidianas, como um meio de obter o conhecimento de si mesmo que é Compreensão, Sabedoria, Poder. Nesta direção, como em nenhuma outra, é absoluta a lei que diz: "Peçam e lhes será dado; batam e a porta se abrirá"; pois somente pela paciência, prática e incessante insistência um ser humano pode entrar pela Porta do Templo do Conhecimento.

AQUILO VOCÊ P
LO VOCÊ PENSA
OCÊ PENSA VO
ENSA VOCÊ É A
VOCÊ É AQUILO
E AQUILO QUE V

EFEITO DO PENSAMENTO NAS CIRCUNSTÂNCIAS

A mente do ser humano pode ser comparada a um jardim, que pode ser cultivado de maneira inteligente ou deixado ao deus-dará; mas sendo cultivada ou negligenciada, ela *produzirá*. Se nenhuma semente útil for colocada na mente, uma grande abundância de sementes de ervas daninhas inúteis *cairá* nela e continuará reproduzindo sua espécie.

Assim como o jardineiro cultiva a terra, retira as ervas daninhas e planta as flores e frutos de que precisa, o ser humano pode cuidar do jardim de sua mente eliminando todos os pensamentos errados, inúteis e impuros, e cultivando para a perfeição as flores e os frutos dos pensamentos corretos, úteis e puros. Seguindo esse processo, mais cedo ou mais tarde o indivíduo descobre que é o mestre jardineiro de sua alma, o diretor de sua vida. Também revela, dentro de si mesmo, as leis do pensamento, e entende, com precisão cada vez maior, como as forças do pensamento e os elementos da mente operam na formação de seu caráter, circunstâncias e destino.

Pensamento e caráter são um só, e como o caráter só pode se manifestar e ser descoberto por meio do ambiente e das circunstâncias, as condições externas da vida de uma pessoa sempre estarão harmoniosamente relacionadas com seu estado interior. Isso não significa que as circunstâncias de um ser humano em determinado momento sejam uma indicação de *todo* seu caráter, mas que essas circunstâncias estão tão intimamente ligadas a algum elemento vital do pensamento dentro dele que, por enquanto, são indispensáveis a seu desenvolvimento.

Todo ser humano está onde está devido à lei de seu ser; os pensamentos que ele construiu na forma de seu caráter o levaram até onde está, e no arranjo de sua vida não existe o acaso; tudo é o resultado de uma lei que não pode errar. Isso vale tanto para aqueles que se sentem "em desarmonia" com o ambiente quanto para os que se contentam com ele.

Como um ser em evolução progressiva, a pessoa está onde está para aprender que pode crescer; e quando aprende a lição espiritual que todas as circunstâncias contêm, estas passam e dão lugar a outras.

O ser humano apanha das circunstâncias enquanto acredita que é criatura de condições externas; mas quando percebe que é um poder criativo e que pode comandar o solo e as sementes ocultas de seu ser, dos quais brotam as circunstâncias, torna-se o legítimo mestre de si mesmo.

Todo indivíduo que por algum tempo praticou o autocontrole e a autopurificação sabe que as circunstâncias surgem do pensamento, pois deve ter notado que a mudança de suas circunstâncias ocorre na exata proporção das mudanças de sua condição mental. Isso é tão verdadeiro que, quando um ser humano se esforça com seriedade para corrigir os defeitos de seu caráter, e faz progressos rápidos e marcantes, passa rapidamente por uma sucessão de vicissitudes.

A alma atrai aquilo que abriga em seu íntimo; aquilo que ama e também o que teme; atinge o auge de suas aspirações acalentadas; cai ao nível de seus desejos lascivos. E as circunstâncias são os meios pelos quais a alma recebe o que é seu.

Cada semente-pensamento plantada ou deixada na mente que ali se enraizar produzirá a sua própria, mais cedo ou mais tarde florescendo em ação e produzindo seus próprios frutos de oportunidade e circunstância. Bons pensamentos dão bons frutos; maus pensamentos, maus frutos.

O mundo exterior das circunstâncias se molda ao mundo interior do pensamento, e as condições externas agradáveis e desagradáveis são fatores que contribuem para o bem do indivíduo. Como ceifador de sua própria colheita, o ser humano aprende tanto pelo sofrimento como pela felicidade.

Seguindo os desejos, aspirações e pensamentos mais íntimos, pelos quais se deixa dominar (perseguindo os fogos-fátuos de pensamentos impuros ou caminhando com firmeza na estrada do esforço forte e elevado), o ser humano por fim chega à fruição e realização nas condições externas de sua vida. As leis do crescimento e adaptação prevalecem em todos os lugares.

O indivíduo não chega ao asilo ou à prisão pela tirania do destino ou das circunstâncias, e sim pelo caminho de pensamentos rasteiros e desejos vis. Nenhuma pessoa de mente pura cai subitamente no crime pela pressão de qualquer mera força externa; o pensamento criminoso há muito foi secretamente alimentado nesse coração, e o momento da oportunidade revelou seu poder acumulado. A circunstância não faz o ser humano, ela o revela a si mesmo. Não existe cair no vício e seus sofrimentos concomitantes sem inclinações viciosas, nem ascender à virtude e sua felicidade pura sem o cultivo contínuo de aspirações virtuosas; e o ser humano, portanto, como senhor e mestre do pensamento, é o criador de si mesmo, o modelador e autor de seu ambiente. No nascimento, a alma chega a si mesma e, com cada passo de sua peregrinação terrena, atrai as combinações de condições que se revelam, que são os reflexos de sua própria pureza e impureza, sua força e fraqueza.

O ser humano não atrai o que quer, e sim o que é. Seus caprichos, fantasias e ambições são frustrados a cada passo, mas seus pensamentos e desejos mais íntimos são alimentados, seja com comida suja ou limpa. A "divindade que molda nossos fins" está em nós mesmos; é nosso próprio eu. Só o ser humano mesmo se algema: pensamento e ação são os carcereiros do Destino – aprisionam se são vis – e também são os anjos da Liberdade – libertam se são nobres. O ser humano não obtém aquilo que deseja e pelo qual ora, e sim aquilo que merece justamente. Seus desejos e orações são gratificados e atendidos apenas quando se harmonizam com seus pensamentos e ações.

À luz desta verdade, qual é, então, o significado de "lutar contra as circunstâncias?". Significa que um ser humano está constantemente se revoltando contra um *efeito* externo, enquanto o tempo nutre e preserva a *causa* dele em seu coração. Essa causa pode assumir a forma de um vício consciente ou de uma fraqueza inconsciente; mas seja o que for, obstinadamente retardá os esforços de quem o possui, e este, portanto, clama em voz alta por remédio.

O ser humano está ansioso para melhorar suas circunstâncias, mas não está disposto a melhorar a si mesmo; portanto, continua amarrado. O indivíduo que não se esquiva da autocrucificação nunca pode deixar de realizar o objetivo sobre o qual está posto seu coração. Isso vale tanto para as coisas terrenas quanto para as celestiais. Até mesmo o ser humano, cujo único objetivo é adquirir riqueza, deve estar preparado para fazer grandes sacrifícios pessoais antes de poder realizar seu objetivo; e mais ainda aquele que busca uma vida forte e bem equilibrada.

Vejamos um ser humano miseravelmente pobre. Ele está extremamente ansioso para que seu ambiente e conforto doméstico melhorem, mas o tempo todo se esquiva de seu trabalho, e considera que tem razão para tentar enganar seu empregador com base na insuficiência de seu salário. Tal ser humano não compreende os mais simples rudimentos daqueles princípios que são a base da verdadeira prosperidade, e não só é totalmente incapaz de sair da miséria como também atrai para si uma miséria ainda mais profunda por abrigar pensamentos indolentes, enganosos e fracos, e agir segundo eles.

Vejamos um ser humano rico que é vítima de uma doença dolorosa e persistente como resultado da gula. Ele está disposto a dar grandes somas de dinheiro para se livrar dela, mas não quer sacrificar seus desejos gulosos. Quer gratificar seu prazer com comidas saborosas e não naturais e também ter saúde. Esse ser humano é totalmente incapaz de ter saúde, porque ainda não aprendeu os princípios básicos de uma vida saudável.

Vejamos um empregador de mão de obra, que adota medidas tortuosas para evitar o pagamento do salário regulamentar e, na esperança de obter maiores lucros, reduz os benefícios de seus trabalhadores. Esse indivíduo é totalmente inadequado para a prosperidade e, quando se vê falido, tanto no que diz respeito à reputação quanto à riqueza, culpa as circunstâncias, sem saber que ele é o único autor de sua condição.

Apresentei esses três casos apenas para ilustrar a verdade: que o ser humano é o causador (embora quase sempre inconscientemente) de suas circunstâncias, e que, enquanto almeja um bom fim, está constantemente frustrando sua realização, encorajando pensamentos e desejos que não se harmonizam com esse fim. Esses casos poderiam ser multiplicados e variados quase indefinidamente, mas isso não é necessário, pois o leitor pode, se assim decidir, analisar a ação das leis do pensamento em sua própria mente e vida; e enquanto isso não for feito, meros fatos externos não poderão servir de base de raciocínio.

Mas as circunstâncias são tão complicadas, o pensamento está tão profundamente enraizado e as condições de felicidade variam tanto de um indivíduo para outro, que a condição da alma de um ser humano (mesmo que conhecida por ele mesmo) não pode ser julgada por outro com base apenas no aspecto exterior de sua vida. O ser humano pode ser honesto em certas direções, mas sofrer privações; pode ser desonesto em certas direções, mas adquirir riqueza; mas a conclusão de que um ser humano fracassa devido à sua *honestidade particular*, e o outro prospera devido à sua *desonestidade particular*, é o resultado de um julgamento superficial, que assume que o indivíduo desonesto é quase totalmente corrupto, e o honesto quase inteiramente virtuoso. À luz de um conhecimento mais profundo e de uma experiência mais ampla, esse julgamento é considerado errôneo. A pessoa desonesta pode ter algumas virtudes admiráveis que a outra não possui; e a honesta pode ter vícios desagradáveis que estão ausentes na outra. A honesta colhe os bons resultados de seus pensamentos e atos honestos, mas também traz sobre si os sofrimentos que seus vícios causam. E a desonesta também colhe sofrimento e felicidade.

É agradável à vaidade humana acreditar que a pessoa sofre devido à sua virtude; mas enquanto ela não houver extirpado todo pensamento doentio, amargo e impuro de sua mente, e lavado toda mácula pecaminosa de sua alma, não estará em condições de saber e declarar que seus sofrimentos são o resultado de suas boas, e não más, qualidades; e no caminho, muito antes ainda de ter alcançado essa perfeição suprema, terá encontrado, operando em sua mente e vida, a Grande Lei que é absolutamente justa e que não pode, portanto, dar bom por mau ou mau por bom. Possuindo tal conhecimento, ela então saberá, analisando sua ignorância e cegueira passadas, que sua vida é e sempre foi ordenada com justiça, e que todas as suas experiências passadas, boas e más, foram o resultado equitativo da evolução de seu ser ainda não evoluído.

Bons pensamentos e ações não podem nunca produzir maus resultados; maus pensamentos e ações não podem nunca produzir bons resultados. Isso é simplesmente dizer que pé de milho dá milho e pé de urtiga dá urtiga. O ser humano entende essa lei no mundo natural e trabalha com ela; mas poucos a entendem no mundo mental e moral (apesar de que ela opera ali de maneira igualmente simples e invariável) e, portanto, não cooperam com ela.

O sofrimento é *sempre* efeito do pensamento errado em alguma direção. É um indício de que o indivíduo está em desarmonia consigo mesmo, com a Lei de seu ser. A única e suprema utilidade do sofrimento é purificar, queimar tudo que é inútil e impuro.

O sofrimento acaba para aquele que é puro. Não poderia haver objetivo algum em queimar ouro depois que a escória fosse removida, e um ser perfeitamente puro e iluminado não pode sofrer.

As circunstâncias que o indivíduo enfrenta com sofrimento são o resultado de sua harmonia mental. As circunstâncias que enfrenta com bem-aventurança são também o resultado de sua harmonia mental. A bem-aventurança, e não as posses materiais, é a medida do pensamento correto; miséria, e não a falta de bens materiais, é a medida do pensamento errado. Um indivíduo pode ser amaldiçoado e rico; ou pode ser abençoado e pobre. A bem-aventurança e as riquezas só se unem quando estas são usadas correta e sabiamente; e o pobre só desce à miséria quando considera sua sorte um fardo imposto injustamente.

Indigência e indulgência são os dois extremos da miséria. Ambos são igualmente antinaturais e resultado de um desajuste mental. Um indivíduo não estará devidamente condicionado enquanto não for um ser feliz, saudável e próspero; e felicidade, saúde e prosperidade são o resultado de um ajuste harmonioso do interior com o exterior, do ser humano com seu entorno.

Um indivíduo só começa a sê-lo quando deixa de lamentar e insultar e começa a buscar a justiça oculta que regula sua vida. E à medida que adapta sua mente a esse fator regulador, deixa de acusar os outros como a causa de sua condição e se alicerça em pensamentos fortes e nobres; deixa de lutar contra as circunstâncias e começa a usá-las como auxílio para seu progresso mais rápido e como meio de descobrir os poderes e possibilidades ocultos dentro de si mesmo.

A lei, não o caos, é o princípio dominante do universo; a justiça, não a injustiça, é a alma e a substância da vida; e a justiça, não a corrupção, é a força motriz e modeladora no governo espiritual do mundo. Sendo assim, o ser humano tem apenas que se corrigir para descobrir que o universo está certo; e durante o processo de se corrigir, descobrirá que, à medida que muda seus pensamentos em relação às coisas e aos outros, as coisas e os outros mudam em relação a si.

A prova desta verdade está em cada pessoa, portanto, admite fácil investigação por introspecção sistemática e autoanálise. Se um indivíduo mudar radicalmente seus pensamentos, ficará surpreso com a rápida transformação que isso provocará nas condições materiais de sua vida. As pessoas pensam que o pensamento pode ser mantido em segredo, mas não pode; rapidamente ele se cristaliza em hábito, e o hábito se solidifica em circunstância. Pensamentos animalescos se cristalizam em hábitos de embriaguez e sensualidade, que se solidificam em circunstâncias de miséria e doença. Pensamentos impuros de todo tipo se cristalizam em hábitos debilitantes e confusos, que se solidificam em circunstâncias perturbadoras e adversas. Pensamentos de medo, dúvida e indecisão se cristalizam em fraqueza e hábitos irresolutos, que se solidificam em circunstâncias de fracasso, indigência e dependência servil. Pensamentos preguiçosos se cristalizam em hábitos de impureza e desonestidade, que se solidificam em circunstâncias de imundície e mendicância. Pensamentos de ódio e condenatórios se cristalizam em hábitos de acusação e violência, que se solidificam em circunstâncias de injúria e perseguição. Pensamentos egoístas de todos os tipos se cristalizam em hábitos de egoísmo, que se solidificam em circunstâncias angustiantes em maior ou menor medida.

Por outro lado, belos pensamentos de todos os tipos se cristalizam em hábitos de graça e bondade, que se solidificam em circunstâncias cordiais e positivas. Pensamentos puros se cristalizam em hábitos de temperança e autocontrole, que se solidificam em circunstâncias de repouso e paz. Pensamentos de coragem, autoconfiança e decisão se cristalizam em hábitos firmes, que se solidificam em circunstâncias de sucesso, abundância e liberdade. Pensamentos enérgicos se cristalizam em hábitos de limpeza e diligência, que se solidificam em circunstâncias de prazer. Pensamentos gentis e flexíveis se cristalizam em hábitos de gentileza, que se solidificam em circunstâncias protetoras e preservadoras. Pensamentos amorosos e altruístas se cristalizam em hábitos de priorização dos outros, que se solidificam em circunstâncias de prosperidade segura e permanente e verdadeiras riquezas.

Uma linha de pensamento persistente, seja ela boa ou ruim, não pode deixar de produzir seus resultados sobre o caráter e as circunstâncias. Um indivíduo não pode escolher diretamente suas circunstâncias, mas pode escolher seus pensamentos e, assim, indiretamente, moldar suas circunstâncias.

A natureza ajuda cada pessoa a satisfazer os pensamentos que ela mais alimenta, e apresentam-se as oportunidades que mais rapidamente trarão à tona tanto os pensamentos bons quanto os maus.

Se uma pessoa acabar com seus pensamentos pecaminosos, todo mundo se suavizará em relação a ela e estará pronto para ajudá-la; se abandonar seus pensamentos fracos e doentios, surgirão por todos os lados oportunidades para ajudar suas fortes resoluções; se alimentar bons pensamentos, nenhum destino difícil a prenderá à miséria e à vergonha. O mundo é seu caleidoscópio, e as combinações variadas de cores que a cada momento sucessivo lhe apresenta são as imagens primorosamente ajustadas de seus pensamentos sempre em movimento.

Então, você será
o que quiser ser;
Pode o fracasso encontrar
seu conteúdo falso
Nessa pobre palavra
"ambiente",
Mas o espírito o
despreza e é livre.

Domina o tempo,
conquista o espaço;
Acovarda aquele trapaceiro
arrogante, a Sorte,
E permite que o tirano

Circunstância
Tire a coroa e ocupe o
lugar de um servo.

A Vontade humana,
essa força invisível,
A descendência de uma
Alma imortal,
Pode abrir um caminho
para qualquer objetivo,
Mesmo que muros de
granito atrapalhem.

Não seja impaciente com atrasos
Mas espere como quem entende;
Quando o espírito se eleva e ordena
Os deuses estão prontos
para obedecer.

AQUILO VOCÊ PE
LO VOCÊ PENSA
OCÊ PENSA VOC
ENSA VOCÊ É AC
VOCÊ É AQUILO
E AQUILO QUE V

EFEITO DO PENSAMENTO NA SAÚDE E NO CORPO

O corpo é servo da mente. Obedece às operações dela, sejam elas deliberadamente escolhidas ou expressas automaticamente. A pedido de pensamentos ilícitos, o corpo afunda rapidamente na doença e na decadência; ao comando de pensamentos alegres e belos, ele se reveste de juventude e beleza.

A doença e a saúde, assim como as circunstâncias, estão enraizadas no pensamento. Pensamentos doentios se expressarão por meio de um corpo doentio. Pensamentos de medo podem matar uma pessoa tão rápido quanto uma bala, e constantemente mata milhares de pessoas com a mesma precisão, embora não tão depressa. As pessoas que vivem com medo da doença são as que a adquirem. A ansiedade rapidamente desanima todo o corpo e o deixa aberto às doenças; e pensamentos impuros, mesmo que não sejam fisicamente permitidos, logo destruirão o sistema nervoso.

Pensamentos fortes, puros e felizes constroem o corpo com vigor e graça. O corpo é um instrumento delicado e plástico, que responde prontamente aos pensamentos que se imprimem nele, e os hábitos de pensamento produzirão sobre ele seus próprios efeitos, bons ou maus.

O indivíduo continuará a ter sangue impuro e envenenado enquanto propagar pensamentos impuros. De um coração limpo provém uma vida limpa e um corpo limpo. De uma mente contaminada procede uma vida contaminada e um corpo corrupto. O pensamento é a fonte da ação, da vida e da manifestação; purifique-se a fonte e tudo será puro.

A mudança de dieta não ajudará uma pessoa que não mudar seus pensamentos. Quando uma pessoa torna seus pensamentos puros, não deseja mais comida impura.

Pensamentos limpos criam hábitos limpos. O pretenso santo que não lava o corpo não é santo. Aquele que já fortaleceu e purificou seus pensamentos não precisa se preocupar com o micróbio malévolo.

Se quiser proteger seu corpo, proteja sua mente. Se quiser renovar seu corpo, embeleze sua mente. Pensamentos de malícia, inveja, decepção, desânimo, roubam a saúde e a graça do corpo. Um rosto acre não vem por acaso; é feito por pensamentos acres. Rugas são desenhadas pela loucura, paixão e orgulho.

Conheço uma mulher de 96 anos que tem o rosto brilhante e inocente de uma menina. Conheço um homem bem abaixo da meia-idade cujo rosto é marcado por traços desarmônicos. Uma é o resultado de uma disposição doce e positiva; o outro é o resultado da paixão e do descontentamento.

Assim como você não pode ter uma morada doce e saudável se não deixar entrar livremente o ar e a luz do sol em seus aposentos, um corpo forte e um semblante brilhante, feliz ou sereno só podem resultar da livre entrada, na mente, de pensamentos de alegria, boa vontade e serenidade.

No rosto dos idosos há rugas feitas pela compaixão, outras pelo pensamento forte e puro, e outras esculpidas pela paixão: quem não as consegue distinguir? Para quem viveu na retidão, o envelhecimento é calmo, pacífico e suave como o sol poente. Recentemente, vi um filósofo em seu leito de morte. Era velho apenas em idade; morreu tão doce e pacificamente como viveu.

Não há médico melhor que o pensamento alegre para dissipar os males do corpo; não há consolador que se compare à boa vontade para dispersar as sombras da dor e da tristeza. Viver constantemente em pensamentos de má vontade, cinismo, suspeita e inveja é estar confinado a uma prisão feita pelo próprio indivíduo. Mas pensar bem de todos, ser alegre com todos, aprender pacientemente a encontrar o bem em todos são pensamentos altruístas, os portais do céu; e habitar dia a dia pensamentos de paz para com todas as criaturas propiciará paz abundante a quem assim age.

AQUILO VOCÊ PE
LO VOCÊ PENSA
OCÊ PENSA VO
ENSA VOCÊ É A
VOCÊ É AQUILO
E AQUILO QUE V

PENSAMENTO E PROPÓSITO

Enquanto o pensamento não estiver ligado ao propósito, não haverá realização inteligente. Com a maioria, a barca do pensamento pode "flutuar" no oceano da vida. A falta de objetivo é um vício, e o pensamento de quem deseja evitar a catástrofe e a destruição não pode continuar à deriva.

Aqueles que não têm um propósito central na vida são vítimas fáceis das preocupações mesquinhas, medos, problemas e autopiedade, todos indicativos de fraqueza que levam, tão seguramente quanto pecados deliberadamente planejados (se bem que por uma rota diferente), ao fracasso, infelicidade e perda. Pois a fraqueza não pode persistir em um poderoso universo em evolução.

Um indivíduo deve conceber um propósito legítimo em seu coração e começar a realizá-lo. Deve fazer desse propósito o ponto central de seus pensamentos. Pode ser um ideal espiritual ou um objetivo mundano, em conformidade com sua natureza no momento; mas, seja o que for, a pessoa deve focar firmemente suas forças de pensamento no objetivo que pôs diante de si. Deve fazer desse propósito seu dever supremo e dedicar-se à sua realização, sem permitir que seus pensamentos se desviem para fantasias, anseios e imaginações efêmeras. Esse é o verdadeiro caminho para o autocontrole e o verdadeiro foco do pensamento. Mesmo fracassando repetidas vezes na realização de seu propósito (como necessariamente acontecerá enquanto a fraqueza não for superada), a *força de caráter adquirida* será a medida de seu *verdadeiro sucesso*, e isso formará um novo ponto de partida para o poder e triunfo futuros.

Quem não está preparado para a conquista de um grande propósito deve fixar os pensamentos no cumprimento impecável de seu dever, não importa quão insignificante ele possa lhe parecer. Só assim os pensamentos poderão ser reunidos e focados, e a resolução e a energia poderão ser desenvolvidas. Alcançado isso, não há nada que não possa ser realizado.

A alma mais fraca, conhecendo sua própria fraqueza e acreditando na verdade de que *a força só pode ser desenvolvida por esforço e prática*, imediatamente começará a se esforçar e, somando esforço a esforço, paciência a paciência e força a força, nunca deixará de se desenvolver e, finalmente, crescerá divinamente forte.

Assim como uma pessoa fisicamente fraca pode se tornar forte por meio de um treinamento cuidadoso e paciente, um indivíduo de pensamentos fracos pode fortalecê-los exercitando-se no pensamento correto.

Abandonar a falta de objetivo e a fraqueza e começar a pensar com propósito é entrar nas fileiras dos fortes que só reconhecem o fracasso como um dos caminhos para a realização; que fazem que todas as condições lhes sirvam e que pensam com força, tentam sem medo e realizam com maestria.

Tendo concebido seu propósito, o indivíduo deve traçar mentalmente um caminho *direto* para sua realização, sem olhar nem para a direita nem para a esquerda. Dúvidas e medos devem ser rigorosamente excluídos; são elementos desintegradores, que rompem a linha reta do esforço, tornando-a torta, ineficaz, inútil. Pensamentos de dúvida e medo nunca conseguiram nada, e nunca conseguirão. Sempre levam ao fracasso. Propósito, energia, poder de fazer e todos os pensamentos fortes desaparecem quando a dúvida e o medo se insinuam.

A vontade de fazer brota do conhecimento de que somos capazes de fazer. A dúvida e o medo são os grandes inimigos do conhecimento, e quem os encoraja, quem não os mata, frustra-se a cada passo.

Quem venceu a dúvida e o medo venceu o fracasso. Todos os seus pensamentos estão aliados ao poder, e todas as dificuldades são enfrentadas com bravura e superadas com sabedoria. Seus propósitos são plantados oportunamente, florescem e dão frutos, que não caem prematuramente no chão.

O pensamento destemidamente aliado ao propósito se torna força criadora; aquele que *sabe* disso está pronto para se tornar algo mais alto e mais forte que um mero feixe de pensamentos hesitantes e sensações flutuantes; aquele que faz isso é capaz de manejar consciente e inteligentemente seus poderes mentais.

AQUILO VOCÊ PE
LO VOCÊ PENSA
OCÊ PENSA VOC
ENSA VOCÊ É AC
VOCÊ É AQUILO
E AQUILO QUE V

O FATOR PENSAMENTO NA REALIZAÇÃO

Tudo que um indivíduo consegue e tudo que deixa de conseguir é o resultado direto de seus pensamentos. Em um universo ordenado com justiça, onde a perda de equilíbrio significaria destruição total, a responsabilidade individual deve ser absoluta. A fraqueza e a força de um ser humano, a pureza e impureza, são suas, e não de outro; são provocadas por ele mesmo, e não por outro; e só podem ser modificadas por ele mesmo, nunca por outro. Sua condição também é sua, e não de outro indivíduo. Seu sofrimento e sua felicidade evoluem de dentro para fora. Ele é o que pensa; e continuará sendo o que continuar pensando.

Uma pessoa forte não pode ajudar uma mais fraca se esta não estiver disposta a ser ajudada, e mesmo assim ela deve se tornar forte por si mesma; deve, por seus próprios esforços, desenvolver a força que admira no outro. Ninguém, a não ser ela mesma, pode modificar sua condição.

É comum que se pense: "Muitos indivíduos são escravos porque um deles é opressor; vamos odiar o opressor". Porém, entre um número cada vez maior de pessoas existe a tendência a reverter esse julgamento e dizer: "Um indivíduo é opressor porque muitos são escravos; desprezemos os escravos".

A verdade é que opressor e escravo são cooperadores na ignorância e, embora pareçam afligir-se mutuamente, na realidade afligem a si mesmos. Um Conhecimento perfeito percebe a ação da lei na fraqueza do oprimido e no poder mal aplicado do opressor; um Amor perfeito, vendo o sofrimento que ambos os estados acarretam, não condena nenhum; uma Compaixão perfeita abraça tanto o opressor quanto o oprimido.

Aquele que venceu a fraqueza e abandonou todos os pensamentos egoístas não pertence nem ao opressor nem ao oprimido. É livre.

Um ser humano só pode ascender, conquistar e alcançar elevando seus pensamentos. E só pode permanecer fraco, abjeto e miserável se ele se recusar a elevar seus pensamentos.

Antes que um indivíduo possa alcançar qualquer coisa, mesmo as mundanas, deve elevar seus pensamentos acima da escravizante indulgência animal. Não pode, para ser bem-sucedido, renunciar a toda animalidade e egoísmo, de forma alguma; mas uma parte, sim, deve ser sacrificada. Um ser humano cujo primeiro pensamento é a indulgência animal não pode pensar com clareza nem planejar metodicamente; não pode encontrar e desenvolver seus recursos latentes e poderá fracassar em qualquer empreendimento. Se não começar a controlar corajosamente seus pensamentos, não terá condições de controlar negócios e assumir sérias responsabilidades. Não estará apto a agir de forma independente e ficar sozinho. Mas ele é limitado apenas pelos pensamentos que escolhe.

Não pode haver progresso nem conquista sem sacrifício, e o sucesso mundano de um indivíduo virá na medida em que sacrificar seus pensamentos animais confusos e fixar sua mente no desenvolvimento de seus planos e no fortalecimento de sua resolução e autoconfiança. E quanto mais alto elevar seus pensamentos, quanto mais forte, reto e justo for, maior será seu sucesso, mais abençoadas e duradouras serão suas realizações.

O universo não favorece o ganancioso, o desonesto, o vicioso, embora às vezes pareça que sim; ele ajuda o honesto, o magnânimo, o virtuoso. Todos os grandes mestres de todas as épocas declararam isso de várias formas, e para provar e saber isso, um ser humano precisa apenas persistir em se tornar cada vez mais virtuoso, elevando seus pensamentos.

As realizações intelectuais são fruto do pensamento consagrado à busca do conhecimento, ou do belo e verdadeiro da vida e da natureza. Elas podem, às vezes, estar ligadas à vaidade e à ambição, mas não são o resultado dessas características; são o resultado natural de um esforço longo e árduo e de pensamentos puros e altruístas.

As realizações espirituais são a consumação de aspirações sagradas. Aquele que vive constantemente na concepção de pensamentos nobres e elevados, que se detém em tudo que é puro e altruísta, tão certo quanto o sol atinge seu zênite e a lua fica cheia, vai se tornar sábio e nobre em caráter, e ascenderá a uma posição de influência e bem-aventurança.

A realização de qualquer tipo é a coroa do esforço, o diadema do pensamento. Com a ajuda de autocontrole, resolução, pureza, retidão e pensamento bem dirigido, o ser humano ascende; com a ajuda da animalidade, indolência, impureza, corrupção e confusão de pensamento, ele desce.

Uma pessoa pode alcançar grande sucesso no mundo e, inclusive, altitudes elevadas no reino espiritual, e novamente descer à fraqueza e miséria se permitir que pensamentos arrogantes, egoístas e corruptos se apoderem dela.

As vitórias alcançadas pelo pensamento correto só podem ser mantidas pela vigilância. Muitos cedem quando o sucesso é garantido e rapidamente caem de volta no fracasso.

Todas as conquistas, sejam no mundo empresarial, intelectual ou espiritual, são o resultado de um pensamento dirigido, são regidas pela mesma lei e são do mesmo método; a única diferença está no *objeto de conquista*.

Aquele que deseja realizar pouco deve sacrificar pouco; aquele que deseja muito deve sacrificar muito; aquele que deseja alcançar o alto deve sacrificar muito mais.

AQUILO VOCÊ PE
LO VOCÊ PENSA
OCÊ PENSA VOC
NSA VOCÊ É AC
VOCÊ É AQUILO
AQUILO QUE V

VISÕES E IDEAIS

Os sonhadores são os salvadores do mundo. Assim como o mundo visível é sustentado pelo invisível, os seres humanos, por meio de todas as suas provações, pecados e vocações sórdidas, são nutridos pelas belas visões dos sonhadores solitários. A humanidade não pode esquecer seus sonhadores; não pode deixar que seus ideais desapareçam e morram; ela vive nelas e as conhece como as *realidades* que um dia verá e conhecerá.

Compositores, escultores, pintores, poetas, profetas, sábios são os criadores do além, os arquitetos do céu. O mundo é belo porque eles viveram; sem eles, a humanidade batalhadora pereceria.

Aquele que acalenta em seu coração uma bela visão, um ideal elevado, um dia os realizará. Colombo acalentou uma visão de outro mundo e o descobriu; Copérnico fomentou a visão de uma multiplicidade de mundos e um universo mais amplo, e o revelou; Buda teve a visão de um mundo espiritual de beleza imaculada e paz perfeita, e entrou nele.

Acalente suas visões; valorize seus ideais; aprecie a música que toca em seu coração, a beleza que se forma em sua mente, que envolve seus pensamentos mais puros, pois deles surgirão todas as condições agradáveis, todo o ambiente celestial; deles, se você permanecer fiel a eles, seu mundo será finalmente construído.

Desejar é obter; aspirar é alcançar. Acaso os desejos mais básicos do ser humano receberão total gratificação, e suas aspirações mais puras morrerão de fome por falta de sustento? Não é essa a Lei. Essa condição de coisas não existe: "Peçam e receberão".

Tenha sonhos elevados e torne-se aquilo que sonha. Sua Visão é a promessa do que você será um dia; seu Ideal é a profecia do que finalmente revelará.

A maior das conquistas foi, primeiro, um sonho. O carvalho dorme na bolota; o pássaro espera no ovo; e na visão mais elevada da alma um anjo desperta. Os sonhos são as mudinhas das realidades.

Suas circunstâncias podem ser desagradáveis, mas não continuarão assim por muito tempo se você perceber um Ideal e se esforçar para alcançá-lo. Você não pode viajar para *dentro* e continuar *fora*. Vejamos um jovem duramente oprimido pela pobreza e a labuta; confinado por longas horas em uma oficina insalubre; sem instrução e sem nenhuma arte do refinamento. Mas ele sonha com coisas melhores; pensa em inteligência, refinamento, graça e beleza. Concebe, constrói mentalmente, uma condição ideal de vida. A visão de uma liberdade mais ampla e de um alcance maior toma posse dele; a inquietação o impele à ação, e ele utiliza todo seu tempo e meios livres, por menores que sejam, para o desenvolvimento de seus poderes e recursos latentes. Em pouco tempo, sua mente terá mudado tanto que a oficina não poderá mais segurá-lo. Terá se tornado algo tão desarmônico com sua mentalidade que ela cairá de sua vida como uma roupa largada de lado e, com o crescimento das oportunidades, que se ajustam ao escopo de seus poderes em expansão, ele sairá dela para sempre.

Anos depois, vemos esse jovem já adulto. Ele é um mestre em certas forças da mente, que exerce com influência mundial e poder quase inigualável. Em suas mãos tem gigantescas responsabilidades; fala e vidas mudam; homens e mulheres se apegam às suas palavras e remodelam seu caráter, e, como o sol, ele se torna o centro fixo e luminoso em torno do qual giram inúmeros destinos. Ele realizou a Visão de sua juventude. Tornou-se uno com seu Ideal.

E você também, jovem leitor, realizará a Visão (não o desejo ocioso) de seu coração, seja ela vil ou bela, ou um misto de ambos, pois sempre gravitará em direção ao que secretamente mais ama. Em suas mãos serão colocados os resultados exatos de seus pensamentos; você receberá o que merece, nem mais nem menos. Seja qual for seu ambiente atual, você cairá, permanecerá ou se elevará com seus pensamentos, sua Visão, seu Ideal. Você se tornará pequeno como seu desejo controlador, ou grande como sua aspiração dominante.

Nas belas palavras de Stanton Kirkham Davis:

Você pode ser contador, mas logo sairá pela porta que por tanto tempo lhe pareceu a barreira que o afastava de seus ideais, e se encontrará diante de um público – ainda com a caneta atrás da orelha, com os dedos manchados de tinta de carimbo –, e ali derramará a torrente de sua inspiração. Você pode ser pastor de ovelhas, mas um dia vagará pela cidade impressionado; vagará sob a orientação intrépida do espírito no estúdio do mestre, e depois de um tempo, ele dirá: "Não tenho mais nada a lhe ensinar". E então, você se tornará mestre, depois de ter sonhado com grandes coisas enquanto pastoreava ovelhas. Você precisa largar a serra e a plaina para assumir a regeneração do mundo.

Os insensatos, ignorantes e indolentes, vendo apenas os efeitos aparentes das coisas e não elas próprias, falam de sorte, fortuna e acaso. Ao ver uma pessoa ficar rica, dizem: "Que sorte ela tem!". Vendo outro se tornar intelectual, exclamam: "Ele é altamente favorecido!". E notando o caráter santo e a ampla influência de outro, comentam: "O acaso o ajuda a cada passo!". Eles não veem as provações, fracassos e lutas que essas pessoas enfrentaram voluntariamente para ganhar sua experiência; não têm conhecimento dos sacrifícios que fizeram, dos esforços destemidos, da fé que exerceram, para que pudessem superar o aparentemente insuperável e realizar a Visão de seu coração. Não conhecem a escuridão e as mágoas; só veem a luz e a alegria, e chamam isso de sorte. Não veem a longa e árdua jornada, contemplam apenas o objetivo agradável, e chamam isso de boa fortuna. Não entendem o processo, percebem apenas o resultado, e chamam isso de acaso.

Em todos os temas humanos há *esforços* e *resultados*, e o tamanho do esforço é a medida do resultado. Não existe o acaso. Dons, poderes, bens materiais, intelectuais e espirituais são frutos do esforço; são pensamentos concluídos, metas alcançadas, visões realizadas.

É com a Visão que glorifica em sua mente e o Ideal que entroniza em seu coração que você construirá sua vida, e nisso se transformará.

AQUILO VOCÊ P
LO VOCÊ PENSA
OCÊ PENSA VOC
ENSA VOCÊ É A
VOCÊ É AQUILO
E AQUILO QUE V

SERENIDADE

A tranquilidade da mente é uma das belas joias da sabedoria. É o resultado de um longo e paciente esforço de autocontrole. Sua presença é uma indicação de experiência madura e de um conhecimento fora do comum das leis e operações do pensamento.

O indivíduo se torna calmo quando se entende como um ser que evolui pelo pensamento, pois esse conhecimento precisa do entendimento dos outros como resultados do pensamento, e à medida que ele desenvolve um entendimento correto e vê cada vez mais claramente as relações internas das coisas pela ação da causa e efeito, deixa de se inquietar, de se enfurecer, de se preocupar e afligir, e permanece equilibrado, firme, sereno.

A pessoa calma, tendo aprendido a se governar, sabe se adaptar aos outros; e eles, por sua vez, reverenciam a força espiritual dela e entendem que podem aprender com ela e confiar nela. Quanto mais serena se torna uma pessoa, maior é seu sucesso, sua influência, seu poder para o bem. Até mesmo o comerciante comum verá a prosperidade de seus negócios aumentar à medida que desenvolver mais autocontrole e equanimidade, pois as pessoas sempre preferirão negociar com alguém cuja conduta é fortemente equânime.

O indivíduo forte e sereno é sempre amado e reverenciado. É como uma árvore que dá sombra em uma terra sedenta, ou uma rocha protetora no meio de uma tempestade.

Quem não ama um coração tranquilo, uma vida doce e equilibrada? Não importa se chove ou faz sol, ou quais mudanças venham para aqueles que possuem essas bênçãos, pois são sempre doces, serenos e calmos. O equilíbrio de caráter, que chamamos de serenidade, é a última lição da cultura, o fruto da alma. É precioso como a sabedoria, mais desejável que o ouro – sim, mais que o fino ouro. Como é insignificante a simples busca por dinheiro em comparação com uma vida serena – uma vida que habita o oceano da Verdade, sob as ondas, além do alcance das tempestades, na Calma Eterna!

Quantas pessoas conhecemos que azedam a própria vida, que estragam tudo que é doce e belo com um temperamento explosivo, que destroem o próprio equilíbrio de caráter e fazem inimizades? Acaso a maioria das pessoas estraga sua vida e sua felicidade pela falta de autocontrole? Como são poucas as pessoas bem equilibradas que encontramos na vida, que têm a postura requintada característica do caráter acabado!

Sim, a humanidade surge com paixão descontrolada, é tumultuada pela tristeza desgovernada, é inflada pela ansiedade e pela dúvida. Somente o sábio, aquele cujos pensamentos são controlados e purificados, faz com que os ventos e as tempestades da alma lhe obedeçam.

Almas sacudidas pela tempestade, onde quer que estejam, sob quaisquer condições em que vivam, saibam que no oceano da vida as ilhas da Bem-Aventurança estão sorrindo, e a costa ensolarada de seu ideal aguarda sua chegada. Mantenha sua mão firme no leme do pensamento. Na barca de sua alma está o Mestre comandante reclinado; está apenas dormindo: acorde-o. Autocontrole é força; Pensamento Correto é domínio; Serenidade é poder. Diga a seu coração: "Paz, aquiete-se!".

Livros para mudar o mundo. O seu mundo.

Para conhecer os nossos próximos lançamentos
e títulos disponíveis, acesse:

/**citadeleditora**

@**citadeleditora**

@**citadeleditora**

Citadel - Grupo Editorial

Para mais informações ou dúvidas sobre a obra,
entre em contato conosco pelo e-mail:

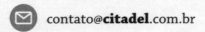

contato@**citadel**.com.br